NATIONAL
DE PARIS

20, allée de la Danse
Parfaite... ou presque

Elizabeth Barféty
Illustré par Magalie Foutrier

La salle de danse au parquet bleu est baignée de lumière. Face au mur, en première position, les mains et les yeux rivés à la barre, Constance écoute le piano. C'est elle qui devra se retourner la première, dans quelques instants. «Si je me plante d'un temps, j'entraîne tout le monde avec moi», songe-t-elle, concentrée.

Tout le monde, c'est-à-dire les huit autres filles, qui sont comme elle en sixième division, la première année de l'École de Danse de l'Opéra de Paris. Ça y est, Constance reconnaît les notes qu'elle guettait. Ses bras s'élèvent lentement en couronne. «Pas trop vite, se répète-t-elle. On reste souple.» Puis sa jambe droite effectue un dégagé. «Tendu jusqu'à la pointe du pied, loin devant. Et je pense à bien garder le dos droit.»

Cela fait plusieurs semaines que la classe de Mlle Hetter répète. À chaque cours, Constance note soigneusement les conseils que la prof de danse leur donne, elle se les repasse en boucle. C'est difficile de penser à tout. Mais personne n'a dit que la danse classique était facile…

À la pointe du V formé par les neuf élèves, Constance s'avance. «Tête haute, comme si un fil imaginaire te reliait au

plafond. » Ensuite, c'est le moment de la pirouette. « Un beau plié pour prendre sa force dans le sol, songe Constance, et on fixe un point du regard. »

La jeune danseuse s'arrête en cinquième position, le souffle court, et elle se mord la lèvre. Sa jambe a tremblé. « Pourtant, hier, je l'ai réussi sans problème… », se dit-elle en fronçant les sourcils.

C'est frustrant, parfois, de ne pas comprendre pourquoi on réussit un exercice un jour… pour le rater le lendemain !

– Très bien, les filles ! les félicite Mlle Hetter.

La prof de danse donne quelques conseils individuels, avant de se tourner vers Constance et d'ajouter :

– Pense à sourire, et ce sera parfait !

La jeune fille sent le rouge lui monter

aux joues et elle hoche la tête. «Ce n'est pas la première fois qu'elle me le fait remarquer », se reproche-t-elle aussitôt. Elle ne peut pas empêcher son cerveau de s'emballer : et si Mlle Hetter décidait de la changer de place ?

Constance est inquiète, car, depuis quelques semaines, tous les élèves de l'École se préparent pour un événement très particulier : les Démonstrations. Il s'agit de trois représentations, qui se déroulent tous les ans, lors de trois week-ends successifs. Devant plus de deux mille personnes, les élèves montent sur la scène du Palais Garnier pour montrer ce qu'ils apprennent pendant leur scolarité.

– C'est une version abrégée du cours, si vous voulez, leur avait expliqué Mlle Hetter au début de l'année.

Contrairement à un spectacle, il n'y a pas de rôles attribués. En revanche, les professeurs répartissent souvent les élèves en différents groupes, selon le niveau qu'ils ont atteint à cette période de l'année, et ils décident également de la place de chacun sur scène. Constance est bien consciente que celle qui lui a été attribuée la met en valeur : c'est elle que les spectateurs verront le mieux.

Rassemblées dans un coin de la salle de danse, les élèves boivent avant de se rhabiller. Une jeune fille à la peau mate et au pétillant regard noisette pose la main sur l'épaule de Constance.

– Bravo, tu as été super, comme d'habitude !

– Merci, Maïna, c'est gentil, répond la jeune fille avec une moue dubitative.

– Parfaite, tu veux dire! s'écrie Zoé, une petite rousse aux cheveux bouclés, en les rejoignant.

Les trois filles partagent une chambre à l'internat, et sont très amies. Elles font partie de «la bande», un groupe de six élèves unis… comme les six doigts de la main. En plus d'elles trois, le groupe se compose de Sofia, une Italienne blonde fraîchement débarquée à Nanterre, où se trouve l'École de Danse, et de deux garçons : le beau et mystérieux Colas, et Bilal, le seul externe du lot, à la bonne humeur permanente. Tous les six sont élèves en sixième division. Et malgré leurs caractères très différents, ils s'adorent!

Constance enfile son survêtement et ses boots par-dessus son justaucorps et ses chaussons. Elle soupire :

– Mais non, tu as entendu Mlle Hetter. Si je continue à avoir l'air de danser sur des morceaux de verre, elle va finir par me mettre au fond !

Même si elle le dit avec humour, c'est une vraie crainte pour elle. « La prof ne voudra certainement pas laisser une danseuse qui ne sourit pas en première ligne… », songe-t-elle. La danse classique n'est pas qu'un sport exigeant, c'est aussi un art, qui doit permettre de faire passer des émotions. « Il ne faut surtout pas montrer que c'est difficile », se répète Constance, en colère contre elle-même.

– Ne t'inquiète pas, la rassure Sofia, alors que les élèves s'apprêtent à quitter la salle de danse. Je suis sûre que tu vas y arriver.

– Ouais, renchérit Zoé, en souriant

comme une forcenée. Fais comme moi, regarde !

Devant la grimace de son amie, Constance ne peut s'empêcher d'éclater de rire.

Un peu rassurée, elle se promet de faire mieux le lendemain. En attendant, pas le temps de traîner : le second cours de l'après-midi les attend. Aujourd'hui, c'est danse folklorique. Mais avant, les filles doivent repasser par la case vestiaires pour enfiler la large jupe avec laquelle elles adorent jouer.

Après s'être changées, les quatre élèves rejoignent le grand escalier du lumineux bâtiment de la danse. Zoé grogne :

– On va encore travailler la chorégraphie des Démonstrations, j'ai l'impression qu'on fait la même chose tous les jours en ce moment !

– Hé, les filles ! Attendez-nous !

La voix puissante de Bilal résonne dans l'escalier.

Les quatre danseuses s'arrêtent, pour laisser le temps aux deux garçons de les rejoindre. À l'École, en effet, filles et garçons ont des cours de danse classique séparés.

– M. Borel nous a tués aujourd'hui, annonce Colas, en arrivant à leur hauteur.

– Parle pour toi, la chochotte ! se moque Bilal. Et vous ? Le cours s'est bien passé ?

Le petit groupe continue à bavarder en pénétrant dans la salle de danse du troisième étage, où ils retrouvent les autres élèves de sixième division. Quelques minutes plus tard, Mlle Donietska, leur prof de danse folklorique, fait son entrée.

– En place, les enfants !

Il ne faut que quelques secondes pour que les dix-sept élèves se positionnent dans la salle. Chacun sait ce qu'il a à faire.

Constance se place juste devant leur prof, face à Colas. Même s'ils répètent cette chorégraphie depuis plusieurs semaines, elle est encore gênée de tenir la main du garçon.

Colas, lui, semble à l'aise. Il lui lance un sourire encourageant, tandis qu'ils tournent en rythme.

– Qu'est-ce que je vous ai dit la dernière fois ? s'écrie Mlle Donietska. On se regarde ! On danse ensemble, pas les uns à côté des autres. C'est compris ?

« C'est pour moi qu'elle dit ça », pense aussitôt Constance, en relevant les yeux.

Il n'en fallait pas plus pour que la jeune fille se remette à douter. « C'est pas possible, je n'arrive à rien aujourd'hui ! »

Cette pensée ne quitte pas son esprit, et Constance la rumine encore quand elle sort dans le parc de l'École avec le reste de la bande, après le cours.

Les six amis s'affalent sur un banc pour discuter. Il commence à faire froid, mais avec ce grand soleil, c'est bon d'être dehors. Seule Constance a la désagréable impression de ne pas réussir à profiter de ce court moment de pause avant les devoirs du soir. Elle a la sensation d'avoir le nez bouché, de ne plus très bien respirer. « Je dois être allergique à quelque chose », se raisonne-t-elle. Ce n'est pas la première fois que ça lui arrive, ces derniers temps. Secouant la tête, elle tente de se concentrer sur la conversation… Évidemment, elle tourne autour de la première

Démonstration, qui aura lieu ce samedi. Dans quatre jours! La deuxième aura lieu le dimanche suivant, et la dernière, encore une semaine après.

— Mes parents vont venir avec Tim! s'enthousiasme Zoé. Vous verrez, il est trop chou!

Le petit frère de Zoé est âgé d'un an à peine, et elle leur montre régulièrement les photos que lui envoient ses parents.

— Moi, mes « parents de week-end » veulent venir aux trois dates! s'amuse Maïna. Je leur ai dit qu'une représentation, ça suffisait!

La jeune Martiniquaise est accueillie chaque fin de semaine par M. et Mme Holt, un couple qui vit à Nanterre, à côté de l'École. Elle en parle toujours avec beaucoup d'affection, et ils ne ratent jamais une occasion de venir la voir danser.

Constance garde le silence : elle ne sait pas si sa mère pourra assister à l'une des représentations à l'Opéra… Le samedi, elle a cours à la fac, et le dimanche, elle a toujours beaucoup de travail, ça risque donc d'être compliqué. Discrètement, la jeune fille tire son portable de sa poche et tape un texto.

Coucou maman,
Tu sais si tu pourras venir me voir samedi à l'Opéra ? La première Démonstration est à 10 h 30. Bisous !

– Ça ne vous met pas la pression, à vous ? demande Colas.
– Quoi ? interroge Sofia. D'être à

l'Opéra ? C'est pas pire que le défilé, non ?

— Non, je veux dire, de danser devant nos familles, explique Colas. Et puis on nous verra beaucoup plus qu'au défilé, quand même…

Le défilé est une autre tradition de l'École de Danse, une présentation de tous les élèves de l'École et de tous les danseurs de l'Opéra de Paris qui a lieu chaque année à la fin du mois de septembre.

— Tu dis ça parce que tout le monde connaît la danse, chez toi, et que ton frère Frantz est en deuxième division ! répond Zoé au garçon. Moi, quoi que je fasse, ils trouveront ça formidable.

Constance, elle, ne vient pas d'une famille de danseurs, comme Colas. Pourtant, elle est d'accord avec lui : elle se sent particulièrement stressée en ce moment. Mais elle n'a pas le temps de se confier à ses amis : il est déjà l'heure de rentrer.

– À demain, tout le monde, lance Bilal en ramassant son sac à dos. Et ne faites pas trop de bêtises sans moi !

Colas lui tape dans la main, puis la petite bande s'éloigne en direction de l'internat. Sentant son téléphone vibrer dans sa poche, Constance reste quelques pas en arrière.

Coucou ma puce,

Désolée, ils nous ont mis un partiel samedi, je ne peux pas sécher. Tu veux que je demande à Mamita de venir ? Plein de bisous, ma grande. Maman.

Le cœur serré, Constance rejoint ses amis.

Ce soir-là, après s'être soigneusement brossé les dents, Constance grimpe dans son lit. Sur la paroi qui isole son espace du reste de la chambre, au-dessus de son oreiller, elle a accroché une ardoise, pour inscrire toutes les tâches importantes, les événements à venir, bref, tout ce qu'elle ne veut pas oublier. Le premier point de la liste lui tire un petit sourire : ça, au moins, c'est fait !

- Abdos mardi et jeudi (3 séries de 10).
- Envoyer une carte à Mamita pour son anniversaire.
- Contrôle de maths jeudi.
- Coudre les rubans sur mes demi-pointes avant la démo.

À l'autre bout de la chambre, Zoé dort déjà, et Maïna lui a souhaité une bonne nuit il y a une dizaine de minutes. Après avoir essayé de lire un peu, sans y parvenir, Constance finit par éteindre sa petite lampe. Impossible de se concentrer : elle n'arrête pas de rejouer les deux cours de danse de l'après-midi dans sa tête !

C'est quelque chose que la jeune fille fait très souvent, revivre des scènes, en tentant mentalement de les améliorer. « C'est dommage de commettre des erreurs aussi bêtes », se dit-elle. Si encore elle ne parvenait pas à réaliser une difficulté technique, ce serait compréhensible. « Mais oublier de sourire ! Ne pas regarder son partenaire ! Je suis capable de faire mieux », se sermonne-t-elle.

Il lui faut encore un bon quart d'heure avant qu'elle réussisse à s'endormir, épuisée. Résultat, le mercredi matin, Constance est fatiguée dès le réveil. C'est pourtant une longue journée qui l'attend, car l'emploi du temps à l'École de Danse ne laisse pas de place pour la sieste…

Le matin, les petits rats ont cours dans le troisième bâtiment de l'École, celui dédié à la scolarité. Constance et Maïna sont en classe de 6e avec Bilal, tandis que Zoé, Sofia et Colas sont en CM2. Constance n'a que 10 ans, mais aussi une année d'avance. Elle a toujours été très bonne élève, et elle l'est encore plus depuis qu'elle est entrée à l'École de Danse. C'est sans doute grâce aux effectifs réduits et aux thématiques autour de la danse que les profs leur préparent régulièrement.

– Tu as tout pris pour l'exposé ? lui demande Bilal en arrivant dans la salle de classe, l'air inquiet.

– Oui, oui, ne t'en fais pas, lui répond Constance, avec un sourire rassurant.

La veille, elle a préparé trois classeurs pour Bilal, Maïna et elle. Comme ça, ils auront tous les documents à portée de main pendant l'exposé, bien rangés et faciles à retrouver !

– Tu es géniale, lui souffle Maïna avec un grand sourire.

M. Bellaire, le prof d'histoire, fait son entrée.

– Tout le monde à sa place dans le calme ! demande-t-il. Sauf nos trois héros du jour, bien sûr, ajoute-t-il en souriant à Constance, Maïna et Bilal. On vous écoute !

Quelques heures plus tard, toute la bande se retrouve à la cantine. Après la matinée de cours, les élèves sont passés aux vestiaires pour enfiler leur tenue de danse et, pour les filles, pour faire leur chignon.

C'est donc vêtus d'un survêtement et chaussés de boots qu'ils s'assoient autour d'une des grandes tables de la cantine.

– Alors, cet exposé ? demande Colas.

– Constance nous a sauvés, comme d'habitude ! répond Bilal. Tu l'aurais vue, elle savait répondre à toutes les questions, c'est dingue !

La jeune fille sourit, un peu gênée.

– Oui, ça s'est bien passé. Et vous, la matinée ? questionne-t-elle, pressée de changer de sujet.

– Absolument inintéressante ! déclare Zoé, la mine réjouie.

Constance comprend immédiatement que son amie a une idée derrière la tête. « Qu'est-ce qu'elle a encore inventé ? » s'interroge-t-elle, inquiète de devoir gérer une nouvelle lubie de sa camarade de chambre, alors que la première Démonstration a lieu dans trois jours à peine.

À la surprise de Constance, c'est Bilal qui prend la parole et propose :

– Ça vous dirait de faire un *killer*?

– Ça veut dire quoi ? demande Sofia.

La jeune Italienne est habituée à devoir se faire expliquer par ses amis le langage familier, le plus intéressant : celui qu'on apprend avec les autres, et pas dans les cours de français.

– C'est un jeu génial ! explique Zoé, qui est visiblement de mèche avec Bilal sur ce nouveau projet. En gros, le maître du jeu écrit des cartes pour les agents. Dessus, il y a le nom de la cible, et la mission qu'elle doit réaliser. Si l'agent réussit à faire réaliser la mission, la cible a perdu et on récupère sa carte, et donc sa mission.

– Le jeu continue jusqu'à ce qu'il n'en reste plus qu'un ! termine Bilal, avec un grand sourire.

– Comme *Highlander*, quoi, lâche Colas.

Comme les autres lui adressent un regard perplexe, il ajoute en soupirant :

– Laissez tomber, c'est un film…

– C'est quel genre de missions ? interroge Maïna, toujours partante pour tester de nouvelles idées.

– Par exemple, réussir à faire prononcer une phrase complètement débile à quelqu'un, explique Zoé, ou à lui faire faire un truc vraiment bizarre.

– Du coup, c'est le même principe que nos Action ou vérité, sauf qu'il n'y a que des actions, remarque Colas.

– Oui, mais ce qui est marrant, c'est que la cible ne sait pas qu'elle est en train de réaliser une mission ! réplique Bilal en riant.

– Il faudrait peut-être mieux qu'on s'y

mette après les trois Démonstrations, non ? intervient Constance.

Elle commence à bien connaître la façon de fonctionner de ses amis : ils ont toujours des tas d'idées, ils s'emballent et y consacrent une énergie folle...

Mais si je ne me concentre pas sur la danse, je ne serai jamais prête», songe-t-elle.

Zoé soupire.

– Et après les Démonstrations, il y aura autre chose ! On a toujours un événement en préparation, ici. C'est justement pour ça qu'il faut savoir se détendre !

Constance jette un coup d'œil à Colas, qui reste muet. Difficile de savoir ce qu'il pense dans ces cas-là... Pourtant, la jeune fille a souvent l'impression qu'ils réfléchissent tous les deux de la même façon...

– Promis, Constance, ça n'empiétera

pas sur la danse ! s'écrie Bilal en levant les mains en signe d'innocence. Et puis rien ne t'oblige à t'y mettre à fond… Un peu comme moi avec les cours, quoi ! Le mieux, si tu ne veux pas y passer trop de temps, c'est de perdre !

– Tu n'auras qu'à faire tout ce qu'on te demande ! rigole Zoé, en imaginant Constance accomplir des tas de gages pour rien.

– Allez, s'il te plaît, Constance, ce sera marrant ! renchérit Maïna.

Constance observe la bande, touchée. Elle ne pensait pas que son avis comptait autant pour eux. Elle hoche la tête et déclare :

– OK, je veux bien tenter.

Toute la tablée pousse un grand cri de joie, qui leur attire un froncement de sourcils d'Henri, le cuisinier, qui traverse la cantine, un plateau à la main. Constance lui adresse un sourire d'excuse.

— J'ai prévu d'être le maître du jeu, reprend Bilal. De toute façon, en tant qu'externe, je ne peux pas être là tout le temps, alors ce serait moins marrant. Et puis comme j'ai déjà fait des *killers* avec mes potes à l'extérieur, j'ai plein d'idées de missions !

Le garçon tire un paquet d'enveloppes de sa poche.

— Voilà les missions ! Bien sûr, vous ne pourrez les lire que quand vous serez seuls… Bonne chance à tous ! termine-t-il avec un ton de présentateur télé qui fait rire tout le monde.

Comme en écho, Rosa, l'assistante d'éducation, qui vient de surgir derrière eux, leur lance :

– Ce n'est pas de chance que vous avez besoin, les enfants… c'est de vous dépêcher ! Allez, filez vite !

Constance doit donc attendre le soir pour découvrir le contenu de la fameuse enveloppe…

Mission ultra secrète !

Agent *: Constance*
Nouvel agent *: (à remplir si tu hérites de la mission)*   _____

_____

_____

CIBLE *: Maïna*

Mission : *Ta cible devra écrire un poème à Rosa, et le lui offrir. Bien entendu, ni Rosa ni Maïna ne doivent apprendre qu'il s'agit d'une mission.*

Attention : *Ne montre cette carte à personne et ne révèle jamais ta mission! Tu ne dois t'en séparer que si tu es éliminé(e). Dans ce cas, remets la carte au joueur qui t'a éliminé(e).*

Constance sourit. «J'ai de la chance, se dit-elle. Maïna est tellement sympa, je suis sûre que ce sera facile!» Finalement, ce jeu a du bon : la jeune danseuse ne pense plus à la Démonstration du samedi. Pour la première fois depuis longtemps, elle s'endort sans difficulté.

Samedi, première Démonstration. Constance n'en revient pas. « Le temps est passé tellement vite », se dit-elle, en regardant les rues de Paris défiler par la fenêtre de la voiture.

– Tout va bien, ma chérie ? Tu es très silencieuse, ce matin.

C'est Mamita qui emmène Constance à la Démonstration. La jeune fille hoche la tête.

– Oui, ne t'en fais pas. Je suis juste un peu stressée…

En réalité, Constance ne se sent pas si bien que ça, mais elle ne veut pas inquiéter sa grand-mère. « Et puis, le trac, ça fait partie de la vie d'une danseuse », se convainc-t-elle en se frottant la mâchoire. Elle est tellement crispée depuis ce matin qu'elle a l'impression d'avoir un appareil en métal à la place des os.

Pour la troisième fois depuis qu'elle est montée dans la voiture, Constance ferme les yeux et répète dans sa tête et sur ses doigts les pas qu'elle devra effectuer sur scène dans quelques heures. Elle les connaît par cœur, mais il faut absolument que tout soit parfait. Car cette fois, c'est sur la scène de l'Opéra Garnier qu'elle va les exécuter !

Un quart d'heure plus tard, après avoir embrassé Mamita, Constance rejoint les autres élèves dans les loges. L'atmosphère hésite entre surexcitation et stress. Pas d'exception pour ce jour de spectacle, les élèves doivent se préparer seuls : habillement, coiffure, maquillage. Et si les plus âgés commencent à être habitués à gérer leur stress avant de monter sur scène, pour les plus jeunes, tout est encore très nouveau.

Constance regarde autour d'elle, un peu perdue, à la recherche de ses amies. «Avec ces embouteillages, je dois être la dernière arrivée», songe-t-elle.

Soudain, elle entend le rire de Zoé. Quelques instants plus tard, elle repère le chignon roux. Il ne lui reste plus qu'à écarter la foule des élèves pour rejoindre Zoé, Maïna et Sofia. À sa grande surprise, elles ne sont pas stressées, mais écroulées de rire.

— Qu'est-ce qui se passe ? demande

Constance, en s'installant à côté d'elles pour se changer.

– Tu viens de rater une superbe imitation de Topolino par Sofia, raconte Maïna.

– Topolino ? interroge la jeune fille, sans comprendre.

– C'est comme ça qu'on appelle Mickey chez moi, en Italie, explique la petite blonde. Et au passage, je crois bien que je viens de me faire éliminer du *killer* !

– Chut ! proteste Maïna. Tu n'as pas lu les règles ? On n'a pas le droit de se parler de nos missions, ni de dire si on a été éliminé !

– Oh, ça va ! rigole Zoé.

Puis elle prend un ton de parrain de la Mafia pour ajouter :

– Bilal n'est pas là. Si tu ne lui dis pas, personne ne le fera…

Constance vient de terminer son chignon. Elle regarde avec envie Zoé, qui rigole, très animée. « Elle a l'air tellement détendue ! J'aimerais être plus comme elle… Me poser moins de questions. »

Le sourire de la petite rousse lui rappelle le jour de leur rencontre. Le jour des auditions…

– Je vous conduis à la salle de spectacle de l'École, avait expliqué Garance, l'assistante de Mlle Pita, qui encadre les auditions.

Dans le premier groupe de quatre candidates qu'elle était venu chercher se trouvaient Constance… et Zoé ! Constance s'en souvient bien, car la petite rousse s'était fait remarquer dès le début.

– Et on devra danser quoi? avait-elle demandé, sans même lever le doigt.

– Pour la première audition, vous ne danserez pas, avait répondu Garance. On veut seulement vous observer, voir comment vous vous tenez, ce que votre corps est capable de faire…

– Si on est souple, par exemple? l'avait interrompue la petite rousse.

Constance se rappelle très bien ce moment : elle avait grimacé, pensant que la candidate allait se faire sermonner pour avoir pris la parole de cette façon. Mais Garance ne s'était pas formalisée…

Ensuite, les filles avaient passé la première sélection sur scène, pendant laquelle on leur avait demandé d'effectuer quelques exercices et d'adopter toutes sortes de postures.

Constance avait ensuite dû rejoindre sa grand-mère devant l'École, et attendre avec elle que les résultats du premier tour soient affichés à l'accueil. En se mordant les lèvres nerveusement, elle avait prié de pouvoir au moins accéder à la deuxième étape. «Ce serait trop rageant d'être renvoyée chez moi sans avoir dansé!» se répétait-elle.

Elle était dans cet état d'esprit quand elle avait croisé le regard de Zoé. La petite rousse lui avait fait un grand sourire et avait croisé les doigts devant son nez en se mettant à loucher. Constance n'avait pas pu réprimer un petit rire. Et ce moment s'était gravé dans son esprit pour toujours, car Garance était arrivée au même instant, pour afficher la liste tant attendue : celle des candidates sélectionnées pour le second tour !

En retenant son souffle, Constance s'était approchée, se frayant difficilement un passage parmi les deux cents candidates présentes. Son cœur battait si vite qu'elle avait l'impression qu'il allait exploser.

Et là, sur la première feuille, elle avait lu son nom. Une vague de soulagement intense l'avait submergée. Quand elle avait tourné la tête, la petite rousse était à côté d'elle. Son expression ne laissait pas la place au doute : elle avait été retenue, elle aussi ! Les deux jeunes filles s'étaient souri...

Aujourd'hui encore, Constance reste persuadée que leur rencontre leur a porté chance. Car toutes les deux avaient ensuite réussi la seconde épreuve leur permettant l'accès au stage de six mois, qui précède le concours d'entrée en sixième division. C'est d'ailleurs pendant cette période qu'elles étaient devenues amies…

Constance a presque oublié son stress quand Mlle Hetter passe la tête dans le vestiaire pour demander d'une voix forte :

– C'est bon, tout le monde est en tenue ? On va pouvoir descendre. Dans le calme ! Vous savez ce que vous avez à faire : on ne crie pas, on ne court pas partout, on ne touche à rien !

Aussitôt, Constance sent une énorme boule se former dans sa gorge.

Dans les coulisses, les quatre filles retrouvent Bilal et Colas. Les garçons vont passer les premiers, pourtant Constance a l'impression qu'ils sont plus détendus qu'elle. « En même temps, ce n'est pas difficile ! » songe-t-elle immédiatement.

– Il paraît que certaines danseuses sont tellement stressées qu'elles vomissent avant de monter sur scène ! déclare Zoé, qui semble bizarrement fascinée par cette idée.

– Arrête, c'est dégoûtant ! proteste Sofia en fronçant le nez.

– Oui, merci bien, je refuse d'imaginer ça ! renchérit Bilal.

– Mon frère dit que ça passe en un éclair, ajoute Colas.

Constance imagine que ce doit être très rassurant d'avoir toutes les informations à l'avance.

– On va s'éclater ! tranche Bilal, ce qui lui vaut un regard sévère de M. Borel, son prof de danse.

Constance garde le silence. « De toute façon, se dit-elle, j'ai la gorge tellement serrée que je ne sais pas si j'arriverai à produire le moindre son… »

La jeune danseuse s'échauffe, dans un état second. C'est comme si tout était entouré de coton. Elle a l'impression d'être séparée de ses amies par une cloison invisible. Répéter les gestes accomplis mille fois la rassure un peu. « Tout se passera bien », chantonne-t-elle en boucle dans sa tête.

Une fois le discours d'introduction de Mlle Pita passé, M. Borel entre en scène pour annoncer la classe des garçons de sixième division.

– C'est à nous, les gars ! chuchote Bilal, avec un sourire jusqu'aux oreilles. T'es prêt, Colas ?

Le beau blond hoche la tête et adopte

la position d'entrée : menton bien haut, bras en troisième. Il est le premier à fouler la scène, et il n'en mène pas large. M. Borel l'encourage d'un sourire rassurant et le public applaudit avec bienveillance.

Depuis le côté de la scène, Constance essaie de se concentrer sur la démonstration des garçons, mais le sang qui bat à ses oreilles enveloppe tout d'un rythme lancinant.

Une nouvelle fois, la salle applaudit : la prestation des garçons vient de se terminer. Comme un fantôme, Constance prend sa place dans la file, tandis que Mlle Hetter se glisse sur la scène pour présenter sa classe.

Debout derrière Maïna, Constance inspire profondément et fixe la nuque de son amie. Quand cette dernière commence à avancer, les jambes de Constance se mettent en marche de façon automatique. Elle comprend qu'elle est entrée sur scène en sentant la lumière et la chaleur intenses des projecteurs l'envelopper. Sous une nouvelle vague d'applaudissements, les danseuses font la révérence, puis se positionnent à la barre.

Yoko, la pianiste attitrée des filles de sixième division, est installée à gauche de la scène. Déjà, les premières notes de son piano résonnent, à la fois familières et différentes. L'acoustique de l'Opéra n'a rien à voir avec celle des salles de danse de l'École !

Le cœur de Constance s'accélère encore un peu plus. Ses mains s'élèvent sans qu'elle contrôle leur mouvement, ses jambes se tendent. La chorégraphie répétée jusqu'à l'épuisement est gravée dans son esprit.

Pourtant, sa gorge se serre. À nouveau, elle a le sentiment de ne plus pouvoir respirer. «Il faut que je tienne», se raisonne-t-elle, en sentant la panique l'envahir. Des étoiles grises dansent maintenant devant ses yeux, elle ne distingue presque plus la scène.

Constance plie les jambes pour préparer sa pirouette… et soudain, elle sent que quelque chose ne va pas. Ses muscles ne répondent plus! Au lieu de se redresser, elle s'affaisse et s'écroule sur le sol, avec une lenteur étrange. On dirait une poupée de chiffon. Elle entend la voix de Mlle Hetter, sans comprendre ce que lui dit sa prof. Le ton est chaleureux, mais Constance est incapable de réagir. Tout est loin, très loin d'elle.

Tout à coup, une main se pose sur son bras. Mlle Hetter l'aide à se relever. Avec horreur, Constance se rend compte que toutes les élèves se sont arrêtées de danser pour la regarder. Elle comprend alors ce que lui dit Mlle Hetter :

– Tout va bien, Constance ? Tu t'es fait mal ?

La jeune fille sent les larmes monter, irrépressibles. Comment une telle catastrophe a-t-elle pu se produire ? Que s'est-il passé ? Et surtout : pourquoi ?

Refusant de s'effondrer en larmes sur scène, devant tout le monde, Constance s'enfuit en courant. Elle traverse les coulisses sans s'arrêter et fonce droit devant elle. Sans réfléchir.

Les couloirs se suivent et se ressemblent, et bientôt elle n'a plus aucune idée de l'endroit où elle se trouve. Elle se laisse glisser sur le sol, et enfin, laisse couler ses larmes.

4

Dimanche matin. Quand Constance ouvre les yeux dans sa chambre, il faut quelques minutes pour que la réalité s'abatte sur elle. Comme une masse qui écrase sa poitrine.

« Ce n'était pas un rêve », songe-t-elle. Jamais elle n'aurait pu imaginer qu'une catastrophe de ce genre se produise. Les souvenirs de la Démonstration affluent soudain. Combien de temps s'est écoulé entre sa fuite de la scène et le moment où on l'a retrouvée ? Elle se rappelle les yeux rougis de Sofia, le bras réconfortant de Maïna autour de ses épaules, le regard doux et triste de Colas.

«Oui, ils étaient tous désolés pour moi. Parce que j'ai tout raté», pense-t-elle.

Rosa était allée chercher Mamita et l'avait conduite en coulisses auprès de sa petite-fille. Folle d'inquiétude, Mamita l'avait aussitôt emmenée à l'hôpital.

Constance ne se souvient plus du trajet ni de l'attente. Elle ne sait pas bien comment elle s'était retrouvée face à cette femme en blouse blanche, dans une petite pièce froide. Ses paroles, en revanche, ont dû trouver un chemin vers son cerveau, qui avait tellement besoin d'une explication.

– Tu as vécu ce qu'on appelle une crise

de panique, avait expliqué la femme. Tu étais fatiguée, sous pression… Il n'est pas rare que le stress se manifeste sous forme physique, quand on ne parvient pas à l'évacuer autrement.

Constance avait acquiescé, assommée. Alors tout provenait de sa tête ? De son propre esprit ? Ce n'était même pas un malaise, une défaillance physique. Ça, elle aurait pu l'accepter. La blessure fait partie du quotidien des danseurs… Mais ça !

— Je ne pourrai jamais retourner à l'École, murmure-t-elle à voix haute, la gorge serrée, avant d'être prise d'une quinte de toux.

Quelques instants plus tard, la porte de sa chambre s'ouvre doucement, et le visage de sa mère, Helena, apparaît.

– Tu es réveillée, ma chérie?

La jeune femme aux longs cheveux bruns a de gros cernes sous les yeux, que ses énormes lunettes ne parviennent pas tout à fait à masquer.

Constance hoche la tête, penaude. Elle aimerait disparaître.

– Mamita m'a raconté, souffle sa mère en venant s'asseoir au bord du lit. Comment tu te sens?

Constance se mord la lèvre. «Je ne me suis jamais sentie aussi mal, se dit-elle. J'ai l'impression que le monde s'est écroulé autour de moi. Que mon corps m'a trahie. Que je suis nulle. Nulle. Nulle.»

Quand elle ouvre la bouche pour répondre, il n'y a plus que ce mot qui tourne dans sa tête. Elle éclate en sanglots.

Sa mère la serre dans ses bras en lui caressant les cheveux.

– Ça va aller, ma chérie. Repose-toi.

Après une longue étreinte muette, Constance se rallonge, puis se tourne vers le mur et ferme les yeux.

Sa mère attend un moment au bord du lit. Puis, pensant sans doute que sa fille s'est endormie, elle murmure :

– Je suis désolée de ne pas avoir été là, ma chérie.

Alors que sa mère quitte la pièce, une larme unique dévale le nez de Constance et tombe sur l'oreiller.

Hébétée, la jeune fille écoute le vide de son esprit. Il n'y a rien en elle.

Quelques minutes plus tard, elle dort de nouveau.

Son rêve la ramène un an auparavant. Les auditions, encore une fois.

Constance est dans le hall de l'École de Danse, assise à côté de Mamita. Autour d'elles, les candidates et les candidats qui ont passé la deuxième épreuve rejoignent leurs familles. Certains sont joyeux, exubérants, heureux d'en avoir terminé. Dans un coin de la pièce, une fille pleure dans les bras de sa mère, persuadée d'avoir manqué la chance de sa vie.

Constance, elle, est étrangement calme.

– Comment ça s'est passé ? l'interroge Mamita, avant de la serrer dans ses bras. Tu es contente de toi ?

– Je crois que ça a été. Je me suis sentie bien sur scène, je n'ai raté aucun exercice…

– Comment ça se déroule, maintenant ? Quand est-ce qu'on connaîtra les résultats ?

– Il faut qu'on attende ici, explique Constance. Ils vont les annoncer bientôt, dès que le jury aura fini de délibérer.

Mamita hoche la tête.

Un quart d'heure plus tard, Mlle Pita fait son apparition, la liste tant espérée – et tant redoutée – à la main. Après avoir demandé le silence, la directrice de l'École déclare :

– Je tenais d'abord à tous vous féliciter. Si vous êtes ici, c'est parce que vous êtes passionnés par l'art de la danse. Comme vous le savez, à l'École de l'Opéra, nos critères sont très spécifiques. Si vous n'êtes pas sélectionnés, cela ne veut pas dire que vous ne serez pas danseurs ou danseuses. Alors, ne perdez pas espoir.

Un silence tendu suit cette déclaration. Comme tous les candidats, Constance n'attend qu'une chose : que la danseuse Étoile lise la liste qu'elle tient à la main, la liste des quelques privilégiés, des heureux élus qui pourront accéder à l'école de leur rêve.

– Voici à présent les noms des candidats retenus, déclare Mlle Pita, solennelle.

La liste commence par les garçons sélectionnés. Constance regarde les candidats appelés sauter de joie, bondir dans les bras de leurs parents, se taper mutuellement dans les mains.

Puis, enfin, c'est au tour des filles. Comme dans un rêve, Constance entend la voix de la directrice lire son nom. Elle lance un regard incrédule à Mamita, persuadée d'avoir tout imaginé. Elle a tellement envie d'être appelée qu'elle a dû l'imaginer… Mais non, le sourire radieux qui s'affiche sur le visage de sa grand-mère ne trompe pas. Elle aussi l'a entendu.

«Je vais entrer à l'École de Danse de l'Opéra de Paris!»

C'est la sonnerie du téléphone qui tire Constance du sommeil. Elle n'a aucune idée de l'heure qu'il peut être, mais elle a sans doute dormi plusieurs heures. Elle se sent vaseuse. Et autre chose, qu'elle n'identifie pas tout de suite. Comme une chaleur dans son ventre, une crispation. Elle serre la mâchoire et les poings. De la colère. C'est ça qu'elle ressent.

Qu'est-ce qui prend à son imbécile de cerveau de la ramener aux auditions? Pourquoi est-ce que ces souvenirs passent leur temps à surgir en ce moment? «À quoi bon me narguer avec cette joie qui ne sert plus à rien?» Pourquoi son esprit s'entête-t-il à lui faire revivre le plus grand bonheur de sa vie, aujourd'hui, justement quand il n'a plus aucun sens?

Après quelques coups frappés à la porte, Constance voit sa mère apparaître, un plateau à la main.

– C'est le téléphone qui t'a réveillée? lui demande celle-ci. De toute façon, reprend-elle immédiatement, il faut que tu manges quelque chose. Je t'ai préparé un sandwich.

Constance jette un œil au plateau que sa mère dépose sur ses jambes, au-dessus de la couette, et sent son estomac se retourner. Elle ne pourra rien avaler, c'est certain. Mais elle garde le silence pour ne pas inquiéter encore plus Helena.

Celle-ci s'assoit au bord du lit, en posant un regard soucieux sur sa fille. Elle hésite visiblement à dire quelque chose. Voyant que Constance reste muette, elle se lance enfin :

– C'était Mlle Pita. Elle appelait pour prendre de tes nouvelles…

Helena guette la réaction de sa fille du coin de l'œil. Elle sait bien que la danseuse Étoile est sa plus grande idole. Le fait qu'elle ait téléphoné va sûrement lui faire plaisir. Mais le visage de Constance reste impassible.

Elle attend la suite. «Peut-être que maman va m'annoncer que je suis renvoyée de l'École?» Le pire, c'est qu'à cet instant elle ne sait pas si elle redoute cette nouvelle… ou si elle l'espère. «Ce serait plus simple.»

– Mlle Pita pense qu'il est important que tu reviennes à l'École dès demain. Je lui ai dit que c'était peut-être un peu tôt, mais elle a beaucoup insisté…

Après une nouvelle pause, Helena reprend :

– Elle a promis que tu verrais l'infirmière de l'École tous les jours, et que tu ne serais pas obligée d'aller en cours de danse si tu ne t'en sentais pas capable. Qu'est-ce que tu en dis?

Constance baisse le nez vers le sandwich. «Retourner à l'École? Mais pour quoi faire?»

– Je crois que tu devrais essayer, déclare

finalement sa mère. Je sais à quel point l'École compte pour toi… Il ne faut pas baisser les bras.

Constance ne se sent pas la force de la contredire. À vrai dire, elle ne se sent la force de rien. Alors, elle souffle :

– D'accord. J'irai demain.

Sa mère hoche la tête, satisfaite.

– Je suis fière de toi, ma chérie. Je te laisse tranquille. Je suis à côté si tu as besoin…

Longtemps après son départ, Constance continue à fixer la porte fermée.

« Je ne veux plus jamais ressentir ça, se répète-t-elle. Je ne veux plus jamais être aussi malheureuse. Plus jamais. Je ne sais pas si je veux continuer à danser. »

5

Constance attend devant l'infirmerie de l'École, hébétée. Les cours du lundi matin se sont déroulés dans un brouillard indifférencié. La jeune fille n'a rien écouté. Ses amis sont venus lui parler, bien sûr. Mais elle s'est contentée d'affirmer que tout allait bien. En leur avouant qu'elle pensait arrêter la danse, elle aurait l'impression de les trahir. Et il y a aussi cette petite voix qui lui souffle que, peut-être, ils l'aimeraient moins ?

« Est-ce qu'on serait encore amis si je quittais l'École ? »

Soudain, la porte de l'infirmerie s'ouvre et une jeune fille aux cheveux châtains et aux immenses yeux verts sort de la pièce, précédant Murielle, l'infirmière.

– Attends-moi ici une seconde, Mila, je vais chercher le livre dont je t'ai parlé.

Constance dévisage la jeune fille. C'est une élève de troisième division. Et à l'École, tout le monde la connaît : elle est représentante des élèves. Son rôle est proche de celui d'une déléguée, pour tout ce qui concerne la danse.

Alors que Murielle s'éloigne dans le couloir, Mila plante un regard très sérieux dans celui de Constance.

– Il paraît qu'il existe une ville en Inde où l'alcool a été interdit, déclare-t-elle. Alors tu sais ce que les habitants ont décidé de faire ?

Constance secoue la tête.

— Comme ils ne pouvaient plus passer leur temps à discuter dans les bars, ils se sont mis à jouer aux échecs.

Un sourire malicieux passe sur le visage de Mila, puis elle ajoute :

— Tu es Constance, c'est ça ? C'était toi, à la Démonstration, samedi…

— Oui.

Puis, après une seconde d'hésitation, Constance demande :

— Pourquoi tu m'as dit ça ? Sur les échecs ?

— Je ne sais pas, répond Mila. Je crois que j'essayais de te dire qu'on ne sait jamais comment les gens vont réagir. Et qu'il faut leur faire confiance, parfois.

Murielle vient de resurgir au bout du couloir, un ouvrage à la main. Avec un sourire chaleureux, elle le tend à Mila, qui la remercie poliment avant de s'éloigner.

– À nous ! déclare ensuite Murielle, en ouvrant la porte de l'infirmerie.

Constance pénètre dans la pièce et va s'asseoir sur l'un des deux gros fauteuils orange placés face au bureau.

– Tu veux bien qu'on parle de ce qui s'est passé à la Démonstration ? demande l'infirmière.

Une nouvelle fois, la jeune fille reste muette. Qu'est-ce que parler pourrait bien changer ? Et puis, on a déjà dû le lui raconter, de toute façon. « Ça ne manquait pas de témoins… Un plein Opéra ! »

– Commence par me décrire ce que tu

as ressenti, d'accord ? suggère doucement Murielle. Tu étais très stressée ?

Constance réfléchit. Les symptômes physiques, ça, elle peut en parler. Elle énumère : la difficulté à respirer, le cœur qui bat trop fort, les sueurs froides, la mâchoire serrée… jusqu'à l'éblouissement et la chute.

Sur les derniers mots, la voix de Constance se brise. « Ce n'était pas une bonne idée d'en parler, se dit-elle. C'est encore pire. »

Son visage se ferme, pendant que Murielle explique :

– Ce qui t'est arrivé était spectaculaire, mais tu n'es pas la première élève à connaître ce type de difficulté. Ne t'inquiète pas, on va t'aider.

Constance a envie de rire, soudain. « Ce

ne sont que des mots, tout ça. » Elle a envie de tout casser dans le bureau. Elle s'imagine en train de renverser les fauteuils, de les éventrer à coups de ciseaux, d'envoyer valser tous les papiers. « Ça doit faire du bien », songe-t-elle, tandis que l'infirmière continue à parler d'une voix rassurante, sans que la jeune fille n'entende un seul mot.

— Je te propose qu'on se revoie demain, après les cours de danse, d'accord ?

Sortant de sa torpeur, Constance acquiesce et quitte l'infirmerie. Elle n'a aucune envie de déjeuner, mais à l'École le repas de midi est obligatoire, et elle sait qu'elle aura des ennuis si elle ne le prend pas. Au lieu de retrouver ses amis pour manger avec eux, comme elle le fait d'habitude, la jeune fille se rend seule à la cantine. Puis elle s'installe à l'unique place libre d'une tablée d'élèves de première division et engloutit son repas en un temps record. Elle file ensuite dans sa chambre à l'internat et s'écroule sur son lit, tout habillée.

Son regard se pose sur l'ardoise suspendue. Une nouvelle fois, elle sent une rage incontrôlable monter en elle. Elle arrache l'ardoise du mur et la jette sur le sol. Puis elle se met à pleurer, silencieusement.

Ce sont les voix de Zoé et de Maïna qui réveillent Constance, quelques heures plus tard. Bientôt, ses amies apparaissent dans son box.

– Ah bah, bravo ! s'écrie Zoé. C'est ce que tu faisais pendant qu'on bossait comme des dingues ? La sieste !

– Tu te sens mieux ? interroge Maïna.

Constance sait bien que ses amies cherchent à la soutenir, mais ce soir, leur sollicitude lui est insupportable. Elle se redresse et lâche sur un ton monocorde :

– J'ai tout gâché… Je n'ai même pas tenu deux minutes. J'ai travaillé comme une dingue pour préparer les démonstrations… Tout ça pour quoi ?

– Ne dis pas des choses pareilles, proteste Maïna. Tout le monde a le droit à l'erreur ! Ça ira mieux la prochaine…

Constance n'a aucune envie d'entendre de nouveaux encouragements, de nouvelles promesses que personne ne pourra tenir. Elle lui coupe la parole :

– Ce n'est jamais arrivé que quelqu'un panique de cette façon pendant les Démonstrations. Je ne sais pas si je suis capable de continuer à danser. Et je ne sais pas si j'en ai envie…

Voilà, ça y est. Elle l'a dit à voix haute.

Les jours qui suivent, Constance est surprise de découvrir qu'elle est capable de se laisser porter. Les choses ne lui semblent plus si importantes. « C'est un peu comme si je me regardais de loin, ou que je voyais quelqu'un d'autre vivre ma vie… »

Au début, la bande pense que Constance a besoin d'un peu de temps, qu'elle va se reprendre, redevenir elle-même. Alors quand elle ne fait plus ses devoirs, ils tentent de la couvrir. Maïna lui passe ses notes pour qu'elle les recopie, Bilal invente des excuses, fait diversion…

Le mardi, en cours de maths, M. Felder demande à Constance de venir au tableau pour résoudre un exercice. Constance le regarde et, sans réfléchir, répond :

– Non.

– Comment ça, non ? insiste le prof, interloqué.

– Ça ne m'intéresse pas, réplique Constance d'une voix claire.

Maïna et Bilal retiennent leur souffle… Mais après quelques instants d'hésitation, M. Felder interroge une autre élève. Il a visiblement décidé de laisser une chance à Constance.

L'après-midi, en cours de danse aussi, Constance semble détachée, peu intéressée par les conseils de Mlle Hetter, qui tente pourtant de l'encourager pour ce premier cours depuis l'incident de la Démonstration.

Le mercredi, Constance rate le départ de la chorégraphie, en démarrant trop tard. Une première fois, une deuxième, puis une troisième.

– Tu veux revoir la musique avec Yoko, Constance ? propose Mlle Hetter.

La pianiste lui adresse un sourire encourageant, mais la jeune fille hausse les épaules et réplique :

– Vous n'avez qu'à demander à Maïna de prendre ma place.

Un silence stupéfait suit sa déclaration. Mais déjà Constance est allée se placer à côté de son amie, qui lui lance un regard paniqué.

– Très bien, finit par trancher Mlle Hetter.

Maïna, passe devant, s'il te plaît.

La fin du cours se déroule sans incident supplémentaire. Constance apprécie de n'avoir plus à guider les autres filles. Une nouvelle fois, elle se laisse porter…

— Action ou vérité ?

La voix de Bilal résonne dans la petite chambre des filles. Toute la bande est réunie pour respecter leur tradition hebdomadaire.

— Vérité, réplique Sofia en grimaçant, comme si elle craignait d'avance la question du grand brun.

— Et sinon, je peux arrêter de faire le poirier, c'est bon ? demande Colas.

Le blond a le visage rouge à force de rester la tête en bas, en appui contre le mur.

— Mais oui, c'est validé ! réplique Bilal, moqueur. De toute façon, tout le monde sait bien que tu continues juste pour frimer...

Avec un soupir de soulagement, Colas laisse ses pieds retomber au sol. Puis il se redresse et se frotte le crâne avec une grimace exagérée.

— Vous auriez quand même pu penser à ma coiffure ! grogne-t-il. Vous êtes sans pitié, les gars...

Constance sourit. Même quand Colas joue les vaniteux, elle ne peut pas le trouver insupportable. La scène est si familière qu'elle lui fait presque oublier qu'elle n'est plus la même. C'est en tout cas ce que lui font sentir ses camarades. Après le cours de danse, elle a été assaillie de questions. Renoncer à la place d'honneur, répondre à Mlle Hetter ? Tout ça ne lui ressemble pas. Et pourtant. « Et si c'est ce que je décide d'être ? Quelle importance, après tout ? Le monde continuera de tourner si je ne suis plus bonne élève. Ou si je ne danse plus... »

Reportant son attention sur le jeu, Constance voit Sofia rougir jusqu'aux oreilles. Visiblement, la question que vient de lui poser Bilal la perturbe.

— C'est vrai ?! s'écrie le garçon. Tu as déjà volé quelque chose ? Moi qui croyais que tu étais une petite fille sage !

— J'étais toute petite, explique Sofia. Je devais avoir quatre ans à peu près, je ne sais plus vraiment... C'est ma mère qui le raconte à toutes les réunions de famille. La honte !

— Et tu avais piqué quoi ? interroge Bilal, curieux. Des bonbons à la boulangerie ? On l'a tous fait, ne t'inquiète pas !

Bizarrement, Sofia rougit encore plus.

— En fait, souffle-t-elle, j'ai volé des tampons au supermarché…

— Mais pourquoi? interroge Maïna, stupéfaite. Tu savais ce que c'était?

— Non, répond Sofia. J'en avais vu à la maison, et maman m'avait dit que c'était pour les grandes filles. Et comme je voulais être grande…

— On sait quoi t'offrir à Noël, maintenant, ironise Bilal.

Comme on tourne dans le sens des aiguilles d'une montre, c'est maintenant au tour de Constance de répondre à la question fatidique. Mais aujourd'hui, ses amis hésitent.

— Tu veux jouer? ose enfin demander Maïna.

La règle qui a été établie depuis le début

de leurs parties d'Action ou vérité est très claire : si on écoute les autres, on est obligé de participer. Hors de question de se défiler, c'est ce que répète Zoé chaque fois qu'un des joueurs refuse de répondre ou d'exécuter un gage.

Avec un petit sourire, Constance rétorque :

– Pas question de se défiler, pas vrai ?

Zoé hoche la tête, et demande :

– Alors… action ou vérité ?

Ses amis échangent un sourire entendu : ils ne savent même plus pourquoi ils lui posent la question, car, de toute façon, la jeune fille choisit toujours une vérité plutôt qu'un gage.

Mais, cette fois-ci, Constance réserve une surprise à ses amis. «Je ne suis peut-être pas si prévisible que ça!»

– Action! répond Constance.

6

Dans le bâtiment de la danse, assise sur un des canapés du premier étage, Constance attend. Elle est convoquée chez Mlle Pita. C'est bien la première fois de sa vie qu'une chose pareille lui arrive. Il y a quelques jours encore, elle aurait été tétanisée. Mais aujourd'hui, elle a l'étrange impression que tout ça ne la concerne pas.

« C'est sans doute pour me parler de ce qui s'est passé hier… » Constance réprime un sourire. Bien sûr, ce n'était pas très malin. Mais elle s'est sentie tellement libre pendant ces quelques secondes !

Zoé lui avait donné un gage difficile, peut-être pour la faire réagir. Les autres avaient même un peu protesté, mais Constance avait accepté sans hésitation.

– Il faut que tu lances une bombe à eau sur des grands, avait dit Zoé.

Des élèves de deuxième ou de première division, donc. La fenêtre de la chambre donnant sur le parc, il suffisait d'attendre qu'un groupe passe… et de bien viser.

Deux garçons étaient passés, puis une fille seule, suivie par un groupe de filles. Mais Constance avait gardé sa bombe à eau dans la main. C'est Bilal qui s'était chargé de la lui fabriquer, selon la méthode classique : un préservatif rempli d'eau !

Le garçon a toujours un stock de munition sur lui, grâce à Fred, son Petit Père, son parrain au sein de l'École. Cet élève de deuxième division n'a pas oublié les jeux préférés des « petits » !

– Tu n'es pas obligée de le faire, avait fini par souffler Maïna. On peut te trouver un autre gage.

Constance avait senti son cœur cogner dans sa poitrine. « C'est un peu comme quand on regarde dans le vide et qu'on a presque envie de sauter. » Elle avait compris qu'elle devait frapper plus fort. Elle ne voulait pas seulement prouver qu'elle était capable de réussir son gage. Elle voulait se prouver à elle-même qu'elle n'avait pas peur. Qu'elle n'avait plus peur de rien.

C'est à ce moment-là que Constance

avait aperçu Mlle Hetter. Quelques secondes plus tard, elle avait lâché la bombe à eau qui était venue s'écraser au sol, juste devant la prof de danse, l'éclaboussant largement.

Mlle Hetter avait relevé la tête, mais Constance n'avait même pas essayé de se cacher. Elle l'avait juste regardée. Sans sourciller.

– Tu peux entrer, Constance.

Mlle Pita vient d'ouvrir la porte et fait signe à la jeune fille de la suivre. Constance bondit sur ses pieds pour la révérence traditionnelle, avant d'entrer dans la pièce au parquet sombre. Trois chaises sont installées en face du grand bureau de Mlle Pita. Et deux sont déjà occupées : par Mlle Hetter… et par Mila ! « Elle est sans doute là en tant que représentante des élèves, comprend Constance. Ce qui signifie que je vais avoir des problèmes… »

— Assieds-toi, dit la directrice à Constance, en désignant la dernière chaise.

La danseuse prend place à côté de sa prof de danse. Elle se sent rougir. Il lui est plus difficile d'assumer son geste de rébellion maintenant, à quelques centimètres de sa « victime ». Constance a du mal à lever les yeux. Quand elle finit par croiser le regard de Mlle Hetter, celle-ci prend la parole :

— Comme tu dois t'en douter, Constance, nous sommes là pour parler de ce qui s'est passé hier.

— J'espère que tu as conscience de la gravité de ton acte ? intervient Mlle Pita. Tu te dis peut-être qu'il ne s'agissait que d'une blague… Mais tu le sais, nous ne tolérons aucune forme de violence, ni entre élèves, ni envers les professeurs. Il est hors de question que ce genre de choses se reproduise, Constance.

La jeune fille hoche la tête, en attendant la suite. De quelle punition va-t-elle écoper?

— Tu es mise à pied jusqu'à mercredi prochain, poursuit Mlle Pita. Tu continueras bien sûr à te rendre à l'infirmerie chaque jour, pour rencontrer Murielle et lui parler de ce que tu ressens.

La jeune fille se mord la lèvre. Tout ce qu'elle retient, c'est sa « mise à pied ». Dans le vocabulaire de l'École, cela signifie l'exclusion des cours de danse. La pire des punitions pour un petit rat…

— Mais nous aimerions également te

proposer quelque chose, reprend Mlle Hetter. Je sais que tu as été très affectée par la Démonstration de samedi dernier.

— Et nous voulons t'aider à surmonter cet incident, renchérit la directrice, d'une voix plus douce.

— C'est pour cette raison que Mila est avec nous, poursuit la prof de danse. À ma demande, elle a accepté que tu l'accompagnes aux cours d'initiation à la danse contemporaine qu'elle suit deux soirs par semaine.

— Si ta mère nous donne son accord, bien entendu, précise Mlle Pita.

Constance écarquille les yeux, stupéfaite. Elle s'attendait à tout sauf à ça… Sourcils froncés, elle interroge :

— De la danse contemporaine ?

— C'est une grande chance, tu sais ? dit Mila d'une voix joyeuse. Le contemporain, c'est un nouveau monde à découvrir !

— Je suis sûre que ça pourrait vraiment t'aider à passer ce cap difficile, Constance.

En prononçant ces derniers mots, Mlle Hetter plonge son regard dans celui de Constance. La danseuse y lit un intérêt sincère. Elle ressent une pointe d'espoir, qu'elle tente aussitôt de repousser. « Je ne veux plus jamais ressentir ça. » La promesse qu'elle s'est faite résonne dans sa tête quand elle marmonne :

— La danse contemporaine, je n'y comprends rien…

— Je vois ce que tu veux dire, répond Mila. C'est déroutant, au début. Moi aussi, avant mes premiers cours, je n'étais pas convaincue. Mais j'ai changé d'avis depuis !

— Alors, intervient Mlle Pita, qu'en penses-tu ?

«Est-ce que j'ai vraiment le choix?» se demande la jeune fille. Elle hausse les épaules, puis hoche la tête.

— D'accord. Je veux bien essayer.

— Formidable! s'exclame Mlle Hetter. Et ne t'inquiète pas, je sais que la période est difficile, mais ça va s'arranger, tu verras.

Dubitative, Constance acquiesce..

— Tiens, j'ai fini! Qu'est-ce que tu en penses? Tu crois que ça lui plaira?

Maïna présente une feuille à Constance. De sa jolie écriture ronde, elle a tracé une dizaine de lignes manuscrites. Un poème pour Rosa.

Constance le parcourt rapidement, avant de déclarer :

– Il est parfait, bravo, Maïna ! Tiens, regarde, elle est là-bas, ajoute-t-elle en désignant l'assistante qui passe dans le hall du bâtiment de la danse où se trouvent les deux filles. Tu devrais le lui donner tout de suite.

Maïna s'empresse de rejoindre Rosa. Elle lui tend la feuille. L'assistante semble surprise. Maïna et elle discutent quelques minutes, puis Rosa fait une bise à la jeune danseuse, qui rejoint Constance avec un sourire ravi.

– En fait, ce n'était pas du tout son anniversaire aujourd'hui, explique Maïna. Mais elle était super touchée par le poème.

Puis elle observe Constance d'un air malicieux avant d'ajouter :

– C'était ta mission pour le *killer*, c'est ça ?

– Exactement ! répond Constance avec un petit sourire. Tu es tellement gentille... Je savais que ça serait facile !

Maïna fouille dans son sac et lui tend un papier.

– Tu récupères ma mission, du coup !

Curieuse, Constance parcourt la feuille, puis sourit. «Décidément, Bilal a choisi des gages trop faciles !»

Dans le vestiaire vide du studio de danse où elle a accompagné Mila, Constance prend tout son temps pour se préparer. Elle n'a aucune envie d'être là. Pourtant, Mlle Johnson, la prof de Mila qui les a accueillies tout à l'heure, lui a semblé très sympa… Mais la jeune fille n'oublie pas qu'elle est ici à cause d'une bombe à eau.

« Ce n'est pas une initiation, c'est une punition ! » songe-t-elle en pliant lentement son jean avant de le ranger dans son sac.

Puis, à regret, elle quitte le vestiaire et se dirige vers la salle de danse, où Mila se trouve déjà depuis un bon moment.

Au lieu d'entrer, Constance reste quelque temps dans le couloir. Une grande vitre lui permet de voir Mlle Johnson, debout dans un angle de la pièce, et Mila. La jeune fille à la silhouette frêle danse avec une force surprenante.

Elle est pieds nus, en justaucorps et collants sans pied, cheveux détachés. Tête baissée, elle laisse ses bras pendre vers le sol, et Constance pense un instant que leur poids va l'entraîner en avant. Mais, juste à l'instant où elle atteint le point de déséquilibre, Mila projette sa poitrine, arc-boutant son corps tout en rejetant la tête en arrière. Fascinée, Constance la voit évoluer, tantôt désarticulée, tantôt compacte, s'abandonnant au sol avant de rebondir avec légèreté.

Bien sûr, ce n'est pas la première chorégraphie de danse contemporaine à laquelle assiste Constance. Mais aucune ne l'avait jamais vraiment emballée… jusqu'à maintenant ! Quelque chose dans la danse de Mila lui donne une envie presque viscérale de l'imiter. Comme si elle sentait toute l'énergie de la danseuse, un mélange de colère et de fragilité. Comme si Mila lui racontait une histoire, et que cette histoire lui était personnellement destinée.

Incapable de la quitter des yeux, Constance se décide à entrer dans la salle de danse. Quelques chaises sont installées à l'entrée, à droite de la porte, pour les observateurs éventuels, mais elle ne s'y assoit pas. Ses pieds la démangent. Cela fait longtemps qu'elle n'a pas ressenti une telle envie de danser. Non, un tel besoin de danser.

Mlle Johnson l'accueille d'un sourire, mais Mila, elle, ne l'a pas entendue entrer. Ce n'est que lorsqu'elle s'arrête, à bout de souffle, qu'elle remarque la présence de sa camarade.

– Ça y est, tu t'es décidée à nous rejoindre ? lui lance-t-elle avec un grand sourire.

Constance acquiesce, perturbée. Elle est venue ici en étant persuadée qu'elle ne voulait plus danser, et voilà que son corps la trahit. Refusant d'avouer à Mila ce qu'elle vient de ressentir, elle s'avance en silence.

– Je dois m'absenter quelques minutes, annonce Mlle Johnson. Constance, profites-en pour t'échauffer. Mila, je compte sur toi pour l'aider. À tout de suite !

La prof s'éloigne à pas rapides, et

Constance pose un regard interrogatif sur Mila. Cette dernière sourit et lâche :

– On ne va pas faire de classique, tu sais ! Tu peux enlever tes demi-pointes.

Avec une moue gênée, Constance enlève ses chaussons. Elle déteste cette impression d'être prise en faute.

– Vire aussi tes collants, ajoute Mila, sinon tu vas glisser. Et puis il faut que tu sentes le sol.

La jeune fille s'exécute. La sensation du parquet de la salle sous ses pieds nus est étrange, mais libératrice. Puis, suivant les conseils de Mlle Johnson, elle s'échauffe en attendant son retour.

Quelques minutes plus tard, cette dernière revient et explique gentiment à sa toute nouvelle élève :

– Je vais commencer par te montrer

quelques mouvements simples. Ensuite, tu nous diras ce que tu ressens, d'accord ?

Une heure plus tard, Constance range ses affaires, essoufflée, en sueur… et étrangement satisfaite. Pour la première fois depuis le début de la semaine, elle se sent à peu près bien. En tout cas, elle n'a pas envie de rentrer chez elle en courant !

– Alors, ça t'a plu ? demande Mila pendant le trajet qui les ramène à l'École de Danse. Je peux compter sur toi pour le prochain cours ?

Constance acquiesce avec un sourire timide. Peut-être que cette « punition » était une bonne idée, finalement…

Le lendemain, après le déjeuner, Constance traîne dans le hall du bâtiment de la danse. Ses amies sont dans les vestiaires, où elles se préparent pour le cours de classique… Constance, elle, peut garder son jean, puisqu'elle est interdite de danse aujourd'hui !

C'est maintenant qu'elle a vraiment l'impression d'être punie…

Soudain, une voix résonne dans son dos.

– Alors, interroge Mlle Hetter, comment s'est passé le cours d'initiation, hier ?

– Bien, marmonne Constance. C'était très… différent.

Puis elle baisse le nez, gênée.

– Tant que je te tiens, reprend Mlle Hetter, j'aimerais qu'on parle de la deuxième Démonstration, qui a lieu dimanche. Tu as réfléchi à ce que tu voulais faire ?

Jusqu'à présent, Constance a soigneusement repoussé cette question au fond de son esprit. Mais face à sa prof de danse, la réponse s'impose à son esprit. « Je ne suis pas capable de remonter sur scène. » Tout ce qu'elle voit, ce sont des images de catastrophe. Elle s'imagine chuter sur le plancher de Garnier pendant la séance de danse classique. Elle s'imagine incapable de chanter une seule note pendant la Démonstration d'expression musicale. Elle s'imagine se tordre la cheville pendant la représentation de danse folklorique.

Rien que d'y penser, elle sent son ventre se nouer.

— Je ne pourrai pas danser, souffle-t-elle, soudain au bord des larmes.

Mlle Hetter a un sourire rassurant et lui répond :

— C'est encore tout frais, ça ne sert à rien de te forcer si tu n'es pas prête. En revanche, ce serait bien que tu nous accompagnes. Tu resteras en coulisses avec tes amis.

— D'accord, murmure Constance. Je viendrai.

— Et le dimanche d'après, je suis sûre que tu pourras participer, termine Mlle Hetter.

Le cœur de Constance frappe fort dans sa poitrine tandis qu'elle prend le chemin de l'internat.

En fin de journée, Constance est réveillée en sursaut par Zoé, qui débarque dans leur chambre commune avec sa discrétion habituelle.

— Alors, ton cours d'initiation d'hier soir?

demande-t-elle à Constance. C'était aussi horrible que prévu ?

— Finalement, je pense que ça s'est plutôt bien passé.

La petite rousse lui lance un regard moqueur.

— Si tu crois que je n'ai pas compris ton petit manège…

— Comment ça ?

— Tu t'es débrouillée pour découvrir la danse contemporaine avant tout le monde ! Juste pour prendre encore plus d'avance sur nous… Encore un crime parfait de Miss Parfaite !

Constance ne peut s'empêcher de rire. Les derniers mots de Zoé lui ont donné une idée.

— Tu as encore ton déguisement de licorne ? demande-t-elle.

La petite rousse hoche la tête, et s'empresse d'aller récupérer le costume multicolore dans son armoire.

– Ouais, regarde! Toujours aussi sublime. Pourquoi, tu veux l'essayer?

– Non, mais j'ai bien envie qu'on se fasse une petite session photo, répond Constance.

Zoé la regarde avec une expression de surprise exagérée.

– Qui êtes-vous et qu'avez-vous fait de mon amie?

Pourtant, pas besoin d'insister beaucoup pour que Zoé accepte de se transformer en licorne. Constance soupçonne son amie de vouloir lui remonter le moral après un après-midi sans danse… et ça l'arrange bien !

– Dis «arc-en-ciel»! ordonne Constance en brandissant son téléphone portable pour prendre Zoé en photo.

– Montre! s'écrie celle-ci, une seconde plus tard.

La photo est très réussie, prise pile au moment où la petite rousse éclate de rire.

– Et j'ai le regret de t'annoncer que tu viens d'être *killée*, Zoé, déclare ensuite Constance. Je devais te prendre en photo déguisée… Je pense que ce sera validé!

Elle ressent une fierté étrange. Comme si chaque mission réussie prouvait qu'elle était capable de faire bien plus que ses amis ne le pensaient. «Capable d'être différente de d'habitude, en tout cas», se dit la jeune danseuse.

– Je m'incline, réplique Zoé en lui tendant sa propre fiche. Mais je te préviens, bon courage pour réussir la mission que m'a donnée Bilal!

Il est l'heure de dîner quand Constance passe la porte de chez elle. Comme prévu, ce dimanche, elle s'est rendue avec ses amis à l'Opéra Garnier pour la deuxième Démonstration. Mais contrairement au reste de la bande, Constance n'a pas dansé.

– Ne t'en fais pas, lui avait glissé Maïna avant d'entrer en scène. Dis-toi que tu es blessée. Quand tu seras guérie, tu pourras remonter sur les planches !

Pourtant, Constance s'était sentie exclue. Elle n'avait pas envie d'être sur scène. Elle n'avait pas non plus envie d'être en coulisses. «Je ne suis plus à ma place», avait-elle fini par se dire en regardant les autres sortir de scène, hilares et essoufflés.

– Tout va bien, ma chérie? lui demande sa mère en l'embrassant sur le front. Comment vas-tu?

Constance lâche son sac sur le sol et se jette dans les bras de sa mère. Les larmes coulent sur son visage sans qu'elle puisse les retenir. Comme si cette question, pourtant si banale, avait ouvert les vannes.

– Je ne sais pas si je veux continuer à danser, maman, finit-elle par bredouiller entre deux sanglots. Je suis désolée… Vraiment désolée…

– Ne t'excuse pas, ma puce.

Emportée par l'émotion, Constance réussit enfin à confier à sa mère tout ce qu'elle a sur le cœur : ses doutes, sa culpabilité, son mal-être…

Et la réponse de sa mère est exactement ce que Constance avait besoin d'entendre :

– Tu sais, ma chérie, tu as le droit d'arrêter la danse. Je t'aime, que tu sois danseuse ou pas. Je veux que tu sois heureuse.

Au moment de s'endormir, quelques heures plus tard, Constance se remémore ces paroles. Et cette fois, la larme qui coule sur sa joue est une larme de bonheur.

Le lundi soir, Constance accompagne

de nouveau Mila au cours de Mlle Johnson. Elle espère que le miracle de la première séance se reproduira. «J'aimerais tellement retrouver le plaisir de danser», se dit-elle en observant sa camarade.

Pendant que celle-ci exécute sa chorégraphie, Constance est assise à l'entrée de la salle, à côté de Lana. Cette autre élève de Mlle Johnson est venue au cours pour préparer le spectacle qu'elle donne la semaine suivante.

Mila termine et Mlle Johnson la félicite, avant de se tourner vers Lana et de lancer joyeusement :

– À nous deux !

– Bravo ! souffle Constance à Mila qui la rejoint en s'épongeant le front avec sa serviette. C'était très beau. Tout avait l'air tellement… relâché.

Mila éclate de rire. Puis, voyant la mine déconfite de Constance, elle retrouve son sérieux.

– Désolée, je ne voulais pas te vexer… Je vais te raconter quelque chose. Si j'ai rigolé, explique Mila, c'est parce que le relâchement, ou le lâcher-prise si tu préfères, ce n'était pas exactement mon truc non plus…

Constance attend la suite en silence.

– L'année dernière, j'ai eu des problèmes, explique Mila. Des troubles alimentaires, comme le dit Murielle. Du jour au lendemain, je me suis trouvée trop grosse. Au début, je voulais juste faire un régime. Mais j'ai… je ne sais pas trop comment expliquer… j'ai perdu le contrôle.

Ces mots résonnent dans l'esprit de Constance.

– Perdre le contrôle, souffle-t-elle. C'est exactement ce que j'ai ressenti sur scène…

Mila hoche la tête.

– Et qu'est-ce qui s'est passé ensuite? l'interroge Constance.

– J'ai passé des jours entiers sans rien manger d'autre qu'une pomme et un yaourt. Je le cachais, bien sûr… Mais ensuite, je pouvais avaler n'importe quoi. Manger en continu, tout ce que je trouvais, à toute vitesse, sans pouvoir m'arrêter. Après, je culpabilisais, je me détestais, je pleurais…

– C'est horrible, murmure Constance.

– Ça va bien mieux, maintenant! reprend Mila. Grâce à Murielle… et grâce à la danse contemporaine, qui m'a aidée à accepter mon corps, à être reconnaissante de tout ce qu'il accepte de faire pour moi. Je sais que tout n'est pas encore gagné, mais j'ai bon espoir.

Constance hoche la tête. Elle se sent très proche de Mila à cet instant.

– Constance, à toi ! les interrompt Mlle Johnson.

La danseuse se lève pour travailler une chorégraphie simple, pensée pour elle par la prof de danse. Mais malgré toute sa bonne volonté, elle se sent empruntée, malhabile, raide, bien trop raide…

Quand Mila bouge, son corps semble souple, sauvage parfois, emporté par le poids tantôt de ses mains, tantôt de sa tête. L'impression qui se dégage, c'est une sensation de liberté, de fluidité.

Voyant que Constance a du mal à se laisser aller, Mlle Johnson l'encourage :

– Essaie de te libérer !

La jeune fille s'arrête à la fin de sa chorégraphie, frustrée.

– J'ai l'impression que je n'arrive à rien, soupire-t-elle.

– J'ai une idée ! lui dit Mila, quand Constance la rejoint.

Elle l'attire dans un coin de la salle.

– Tourne sur toi-même ! ordonne-t-elle.

– Tu veux que je fasse une pirouette ? demande Constance, surprise.

– Non, simplement que tu tournes sur toi-même. Comme les enfants quand ils jouent ! Écarte les bras, regarde le plafond, souris… et tourne !

Constance hausse les sourcils, dubitative. Mais elle décide de faire confiance à Mila.

Elle se lance donc. Passé les premières secondes, où elle a la désagréable impression d'être complètement ridicule, elle se prend au jeu. Des sensations anciennes reviennent. L'air qui caresse ses joues, le plafond qui vacille au fil des tours, l'ivresse qui monte. Constance sent un sourire irrépressible étirer ses lèvres. Elle éclate de rire.

— Sens ton corps ! crie joyeusement Mila. Son poids, sa force, sa joie !

Constance tente de s'immobiliser, mais, emportée par son élan et par sa tête qui tourne, elle s'écroule au sol et éclate de rire.

— Tu vois, lui lance Mila, en apparaissant au-dessus d'elle, ça fait du bien de relâcher parfois !

Après une courte pause, Constance reprend le travail avec Mlle Johnson. Et cette fois, ses mouvements sont fluides, sans gêne ni retenue.

– Tu sais ce qu'il faudrait que tu fasses ?
dit Mila alors qu'elles sont sur le chemin
du retour. Inventer une chorégraphie !
Quelque chose qui te représente, toi, qui
raconte ce que tu as ressenti pendant les
Démonstrations !

Constance fronce les sourcils.

– Tu crois que j'en suis capable ?

– Mais oui ! réplique Mila, sans hésiter.
Et puis, si tu veux, je te donnerai un coup
de main, et je la danserai avec toi ! Peu
importe si c'est un truc très court…
L'essentiel, c'est que tu utilises les émotions
que tu as éprouvées. Moi, ça m'a beaucoup
aidée. Comme si je m'étais débarrassée
de mes angoisses en les extériorisant.

– C'est aussi un peu ce que m'a dit
Murielle la dernière fois que je l'ai vue,
remarque Constance. Qu'il fallait que

je parle de mes doutes, que j'arrête de tout garder en moi…

— Et toi et moi, on est des danseuses! Notre façon de nous exprimer, ce n'est pas la parole, mais le geste…

Constance acquiesce, prête à tenter ce nouveau défi avec Mila. «De toute façon, je n'ai rien à perdre», se dit-elle. Mais cette fois-ci, cette pensée n'est pas désespérée, bien au contraire. Constance se sent libre.

9

Ce dont Constance ne se doute pas, c'est que pendant qu'elle imaginait sa chorégraphie avec Mila, la bande s'est réunie pour discuter de son cas. Et ses amis ont eu une idée… qu'ils lui annoncent tous ensemble, le jeudi midi, après le déjeuner, dans le parc de l'École.

– On a une proposition à te faire, commence Bilal.

– Et avant qu'on te dise quoi que ce

soit, rappelle-toi que tu n'es pas obligée d'accepter, complète Maïna.

Constance écarquille les yeux en voyant Mila les rejoindre.

– Tu ne m'avais pas dit que tu avais de si chouettes amis, déclare la jeune fille avec un grand sourire.

– Bien vu, Mila ! reprend Zoé. Et comme on est des potes merveilleux, on a plein d'idées…

– Par exemple, organiser une représentation de ta chorégraphie sur la scène de l'École, termine Colas.

– Ne réponds pas tout de suite ! s'empresse d'ajouter Sofia.

À tour de rôle, ses amis prennent la parole pour détailler leur projet. Ils sont allés consulter Mlle Pita, et la directrice est d'accord pour qu'ils organisent un événement interne informel. Yoko est prête à les accompagner…

— Réfléchis-y, reprend Bilal, avec un sérieux inhabituel.

— Si tu dis oui, on pourrait présenter ta chorégraphie demain midi, après le déjeuner, lâche enfin Mila.

Constance ouvre la bouche, mais elle est aussitôt arrêtée par les cris simultanés de toute la bande.

— Non ! Ne dis rien !

Ses amis insistent pour que Constance prenne le temps de la réflexion. À tel point qu'ils se relaient pour l'empêcher de prononcer le moindre mot jusqu'au cours de danse de Mlle Hetter.

Les mains posées sur le bois de la barre, la jeune fille réfléchit en entamant une série de pliés. La proposition de ses amis lui paraît complètement folle. «Danser ma chorégraphie devant tout le monde? Seule en scène avec Mila?»

Si elle a imaginé ces mouvements, c'est avant tout pour elle-même. «Et je n'ai fait qu'une initiation à la danse contemporaine, je serai juste ridicule!»

Les filles de sixième division s'entraînent à présent aux grands battements. Constance aime cet exercice, qui lui demande beaucoup de contrôle, mais lui donne aussi l'occasion de se défouler. D'ailleurs, elle a l'impression que son travail de danse contemporaine avec Mila lui a permis d'améliorer son mouvement, de le prolonger jusqu'à l'extrémité de ses orteils.

Alors que l'effort fait perler quelques gouttes de sueur sur son front, Constance ne peut s'empêcher de se voir sur scène, dansant la chorégraphie qu'elle a inventée avec Mila. Et sensation inconnue depuis deux semaines, les scènes qui défilent dans son esprit ne sont plus celles de nouveaux échecs ou de catastrophes à répétition... Non, Constance se voit danser pour le plaisir de danser. Pour la première fois depuis son entrée à l'École, elle parvient à s'imaginer libérée de son besoin de perfection. « De toute façon, ce serait impossible d'être parfaite sur une chorégraphie que je viens à peine de créer... »

La jeune fille fait la moue, tentée. Quoi de plus éloigné de l'ancienne Constance ? Celle qu'elle aimerait laisser derrière elle, qui ne peut pas danser un pas sans que des consignes ne tournent en boucle dans sa tête, sans que son esprit ne commente chaque mouvement, sans que son cerveau ne l'accable de reproches le soir venu…

« Depuis combien de temps je n'ai pas dansé juste pour le plaisir ? » réalise-t-elle soudain. Et si, finalement, l'idée de ses amis n'était pas si dingue que ça ? Après tout, aujourd'hui, ce sont eux qui la connaissent le mieux…

À la fin du cours, sa décision est prise. Elle va accepter la proposition de la bande… mais hors de question de le leur annoncer comme ça. « Je vais leur rendre la monnaie de leur pièce ! » décide-t-elle, avec un sourire en coin.

Elle a un plan. D'abord, s'assurer de la complicité de Mila.

Lorsqu'elle retrouve la jeune fille dans le parc de l'École après le deuxième cours de l'après-midi, Constance lui annonce sa décision de but en blanc :

— Je veux bien faire le spectacle.

— Pardon ? demande Mila.

— Le spectacle. Je vais le faire, répète Constance.

— Non, décidément, je n'entends rien, c'est fou, réplique Mila, avec un sourire moqueur.

— ON VA DANSER MA CHORÉGRA-PHIE SUR LA SCÈNE DE L'ÉCOLE ! crie Constance à pleins poumons.

Les deux danseuses éclatent de rire, complices, puis Constance met au courant Mila de la suite de son plan…

Le soir, lorsqu'elle rejoint ses amis à la cantine pour le dîner, Constance affiche une mine sérieuse.

— J'ai réfléchi à votre proposition, déclare-t-elle en posant son plateau en face de Sofia. J'ai le droit de vous répondre, maintenant ?

— Tu as le droit de dire oui ! réplique malicieusement Zoé, des carottes râpées plein la bouche.

— Bien sûr que tu peux répondre, reprend Maïna. On voulait simplement que tu prennes un peu de temps pour y penser.

— Oui, ajoute doucement Sofia. Pour que ça ne soit pas la peur qui l'emporte…

— Qu'est-ce que tu as décidé ? demande Colas.

Les yeux clairs du garçon font presque

vaciller la résolution de Constance. Mais elle se reprend à temps.

– Je refuse, lâche-t-elle, à la surprise générale. Je vous remercie pour le mal que vous vous êtes donné, mais je ne suis pas prête.

Un silence gêné suit l'annonce de Constance. La bande n'est pas habituée à ce que ses plans échouent. Mais rapidement, tous se reprennent.

– Aucun problème, c'est tout à fait compréhensible, dit Maïna.

– Si tu n'es pas prête pas, il ne faut pas te brusquer, ajoute Sofia.

Ses amis font de leur mieux pour ne pas laisser paraître leur déception, mais Constance sent bien qu'elle a plombé l'ambiance. Et elle a une idée pour se rattraper…

Prenant son courage à deux mains, elle se tourne vers Colas.

– Il a l'air chaud, ton pull! lui dit-elle. Tu voudrais bien me le prêter ? J'ai froid…

Le garçon ouvre de grands yeux, surpris.

– Euh… si tu veux…

Il lui tend la marinière en laine qu'il a enfilée pour le dîner. Constance, elle, ne s'est pas changée. Elle porte encore le survêtement de l'école. Elle enlève le haut, un gilet zippé, pour enfiler le pull de Colas. « Et maintenant le plus dur, se dit-elle. Là, ça passe ou ça casse. » Elle tend son gilet à Colas, en lançant :

– Tiens, ne reste pas en tee-shirt, tu vas geler, sinon. Mets mon haut.

Du coin de l'œil, Constance aperçoit Zoé qui se mord les lèvres pour ne pas rire. Bien entendu, la petite rousse sait exactement ce qu'est en train de faire son amie, puisqu'à l'origine c'était sa mission !

Constance retient son souffle. Elle croit voir Colas rougir légèrement quand il accepte.

– Merci, tu es une vraie mère pour moi ! déclare-t-il avec un sourire moqueur.

La tablée rit franchement. « Au moins, je n'aurais pas gâché la soirée ! » songe Constance.

Tandis que le dîner se poursuit, elle découvre, troublée, que le pull de Colas est imprégné de son odeur. Un parfum de garçon qui lui donne l'étrange sensation que son ami la tient dans ses bras…

Le cœur battant, Constance et Mila patientent dans les coulisses, sur les côtés de la grande scène de l'École. Elles n'en reviennent pas : leur présentation va vraiment avoir lieu !

Dans la salle, à quelques mètres à peine, les élèves des sixième et troisième divisions patientent, en se demandant pourquoi ils ont été conviés à ce spectacle impromptu.

– Rappelle-toi la raison pour laquelle tu es ici ! souffle Mila en serrant la main de sa partenaire du jour.

Constance hoche la tête. Elle ne pourrait pas se sentir plus différente de la danseuse qu'elle était lors de la première Démonstration. Sa rencontre avec Mila, la découverte de la danse contemporaine avec Mlle Johnson, la conversation qu'elle a eue avec sa mère…

tous ces événements l'ont libérée, fait grandir, rassurée aussi.

«Je suis une danseuse», se dit-elle au moment de s'élancer.

Elle entre dans la lumière. Le silence vibre dans la grande salle, avant que Yoko ne martèle la première note de la mélodie que Constance a choisie avec la pianiste.

La jeune fille fait revivre une à une toutes les sensations qu'elle a éprouvées lors de sa crise de panique. La chaleur, l'incompréhension, le stress, l'éblouissement, puis la peur, la peur incontrôlable qui la dévore. Les émotions sont comme apprivoisées par la danse, par le dialogue avec Mila, qui surgit soudain pour se joindre à elle, et la ramener vers la joie. Leurs pas s'harmonisent, le rythme se fait plus calme, les mouvements plus lents, plus ronds.

Enfin, elles s'allongent sur le sol, le noir de la tenue de Constance mélangé au blanc de celle de Mila. Le Yin et le Yang.

La dernière note du piano s'épuise lentement. Puis les applaudissements s'élèvent dans la salle de spectacle. Constance salue, hébétée et heureuse.

«Je l'ai fait», ne cesse-t-elle de se répéter, débordant d'une fierté qu'elle n'a jamais connue auparavant. Elle a livré son âme. Et ses amis sont debout et lui sourient.

Constance reste un peu plus longtemps que nécessaire dans les coulisses. Elle sait que la bande l'attend, mais elle veut grappiller quelques minutes supplémentaires seule avec elle-même. Elle savoure son bonheur, avant de le partager.

Alors qu'elle vient d'enfiler son survêtement, Constance entend un bruit dans son dos. Elle se retourne et voit Zoé qui s'élance vers elle, un immense sourire aux lèvres.

– Tu as été géniale ! s'écrie la petite rousse en se jetant dans ses bras.

Une seconde après, Colas, Maïna, Bilal et Sofia arrivent à leur tour.

– T'aurais pu nous attendre, Zoé ! proteste Colas, pour la forme. Et toi, Constance, tu es une petite cachotière !

– Ouais, tu nous as bien eus, renchérit Bilal.

Puis tous se précipitent pour enserrer Constance dans un câlin collectif.

– Hé ! gémit-elle en riant. Vous allez m'étouffer !

Malgré sa protestation, Constance se sent merveilleusement bien. Elle ferme les yeux pour se laisser porter par cette gigantesque vague d'amitié.

Zoé se dresse sur la pointe des pieds pour lui souffler à l'oreille :

— Et je te préviens, la prochaine fois, c'est avec nous que tu danses !

— Promis, répond Constance sur le même ton.

Quand, enfin, l'étreinte de la bande se relâche, Constance déclare avec un sourire en coin :

— C'est une bonne chose que vous soyez tous là… parce que j'ai une annonce à vous faire !

Les regards de ses amis se fixent aussitôt sur elle. Ils sont inquiets.

— Oh non… Qu'est-ce qui se passe encore ? interroge Bilal, résumant bien ce que tout le monde pense.

— Je crois qu'il est temps que vous sachiez… que je suis la grande gagnante du *killer* !

— Quoi ?! s'écrie Bilal. Toi ?

La jeune fille explique, ravie, qu'elle a rempli sa dernière mission hier, en réussissant à échanger un vêtement avec Colas pendant une heure, et devant témoins. Elle brandit son ordre de mission sous le nez du garçon blond, qui éclate de rire.

– Je me disais bien que c'était bizarre que tu me fasses un compliment !

– Toutes mes félicitations, chère Constance, déclare Bilal d'une voix solennelle.

– Est-ce que tu vas choisir « action » plus souvent, maintenant ? interroge Sofia.

Constance savoure le plaisir d'échanger avec ses amis en se sentant de nouveau parfaitement à sa place. Au bout de quelques minutes, c'est Zoé qui lance :

– Constance, je ne pensais pas te dire ça

un jour… mais si on n'y va pas maintenant, on va être en retard au cours de Mlle Hetter !

Pendant le cours qui suit, Constance n'a qu'une pensée. Et à la fin de l'heure et demie, elle va trouver Mlle Hetter. La prof l'accueille avec un large sourire.

– Bravo pour ta chorégraphie, Constance. Je suis contente que ton inititation à la danse contemporaine t'ait plu.

– Merci, mademoiselle. C'est grâce à vous.

– Ou grâce à toi, ça dépend du point de vue ! réplique Mlle Hetter en riant. Tu voulais me parler ?

– Oui, souffle Constance, d'une voix hésitante. Je voudrais m'excuser. Je suis désolée pour la bombe à eau, c'était vraiment idiot… Et aussi pour mon attitude, ces derniers temps. Merci beaucoup de m'avoir aidée…

Après une courte pause, Constance reprend :

— Et si vous êtes d'accord, je voudrais essayer de danser dimanche, à la dernière Démonstration.

— Voilà une excellente nouvelle ! s'exclame la prof de danse. Je suis vraiment contente que tu remontes sur la scène de l'Opéra. Et si tu ne te sens pas bien pendant la représentation, tu pourras t'éclipser discrètement.

Dimanche. 10 h 30. C'est la troisième

et dernière Démonstration de l'année. Dans les coulisses de l'Opéra Garnier, Constance est en tenue, entourée par ses amies. Elle se concentre sur sa respiration, essayant de calmer le trac qui grandit en elle à l'approche du moment fatidique.

Déjà, les garçons rejoignent les coulisses. Aussitôt, les filles de sixième division s'alignent, prêtes à monter sur les planches. Les applaudissements du public les accueillent tandis qu'elles prennent leur place à la barre. Cette fois, Constance est la dernière à entrer. De cette façon, elle est au plus près des coulisses, où elle pourra se réfugier en cas de problème.

Mais cette précaution se révèle inutile : une fois passé le moment où elle s'était écroulée pendant la première Démonstration, Constance se détend.

Les exercices se succèdent et les heures de répétition l'emportent. La danseuse enchaîne les mouvements, se fondant parfaitement parmi la classe.

Après le cours de classique, les élèves reviennent sur scène pour la Démonstration de danse folklorique. Constance entre au bras de Colas, qui lui souffle :

– Tu vas assurer, ne t'en fais pas. Je suis sûr qu'on ne verra que toi !

C'est en rougissant que Constance s'avance. Heureusement, la chaleur des projecteurs est une excuse suffisante !

Lorsque la jeune fille fait son entrée sur les planches de l'Opéra pour la troisième fois de la matinée – pour la Démonstration du cours d'expression musicale de M. Jankovic, toute appréhension l'a quittée. Elle est bien

décidée à savourer ces minutes sur scène, à prendre sa part de la joie générale.

En chantant, entourée de toute la bande, Constance s'amuse. Et ce n'est qu'à ce moment-là qu'elle peut enfin répondre à la question qui la tourmente depuis deux semaines. « Oui, je veux continuer à danser, songe-t-elle, en s'inclinant pour saluer le public. Mais pas comme avant. Je vais danser pour moi. »

Alors que les lumières se rallument dans la salle, le regard de Constance parcourt le public. Elle cherche un visage. Soudain, son cœur bondit dans sa poitrine. « La voilà ! » Sa mère est debout, elle applaudit fièrement. Pour Constance, son sourire vaut tous les discours.

Savais-tu que l'École de Danse de l'Opéra se situe bien au 20, allée de la Danse ?

Ces quelques pages te permettent d'en savoir encore plus...

La danse contemporaine

Au début du XXᵉ siècle, un nouveau courant apparaît que l'on appelle alors « danse moderne », puis « danse contemporaine » à partir des années 1970. Ce courant se définit par une liberté de création du mouvement et refuse les codes du ballet classique, comme les cinq positions ou une narration trop structurée.

La première « danseuse moderne » est Isadora Duncan (1877-1927). Dansant pieds nus, dans des tuniques souples, Isadora pose souvent ses talons au sol, alors que la ballerine semble toujours le survoler de ses pointes et de ses sauts. Ce rapport au sol est une différence fondamentale avec la danse classique.

Au fil du temps, de nombreux chorégraphes donnent ainsi leur propre vision de la danse. Citons, parmi eux, les Allemandes Mary Wigman et Pina Bausch, les Américains Martha Graham, Merce Cunningham et Carolyn Carlson, la Belge Anne Teresa de Keersmaeker, les Français Philippe Decouflé, Angelin Preljocaj et Maguy Marin.

Le savais-tu ?

Les chorégraphes de danse contemporaine n'ont pas hésité à imaginer pour leurs créations des musiques inhabituelles, comme les bruits du quotidien, tels des portes qui claquent, une scie sur le bois… ou même le silence.

Les Démonstrations des petits rats

Les Démonstrations de l'École de Danse de l'Opéra ont lieu trois week-ends d'affilée, avant Noël. Lancées par Claude Bessy en 1977, c'est l'occasion pour les petits rats de montrer leur travail quotidien au public et à leurs familles. Jusqu'en 1987, les Démonstrations étaient données à la Salle Favart, mais aujourd'hui, les petits rats dansent sur la scène de l'Opéra Garnier ! Le matin, ce sont les petits (sixième, cinquième et quatrième divisions) qui ouvrent le spectacle. Au programme : exercices de danse classique, danse folklorique, baroque, mime et chant, et pour les grands, danse contemporaine ! L'après-midi, les autres divisions présentent leur travail en classique, caractère, jazz et pas-de-deux.

. . . .

L'Éditeur tient à remercier tout particulièrement pour leur aide précieuse :
Élisabeth Platel, *Directrice de l'École de Danse de l'Opéra de Paris ;*
Astrid Boitel, *Assistante de direction de l'École de Danse de l'Opéra de Paris ;*
Benjamin Beytout, *Adjoint au Directeur Commercial et du Développement*
de l'Opéra de Paris.

. . . .

© 2016 Éditions NATHAN, SEJER, 25 avenue Pierre-de-Coubertin, 75013 Paris
Loi n° 49-956 du 16 juillet 1949 sur les publications destinées à la jeunesse,
modifiée par la loi n° 2011-525 du 17 mai 2011
DA maquette : Marine Giacomi
Dépôt légal : juin 2016
ISBN 978-2-09-256535-3
N° d'éditeur : 10241718

Achevé d'imprimer en janvier 2018
dans les ateliers de Normandie Roto Impression s.a.s.
61250 Lonrai
N° d'impression : 1704972

Imprimé en France